Panique
à Pompéi

L'auteur : Mary Pope Osborne a écrit plus de quarante livres pour la jeunesse récompensés par de nombreux prix. Elle vit à New York avec son mari, Will, et Bailey, un petit terrier à poils longs. Tous trois aiment retrouver le calme de la nature, dans leur chalet en Pennsylvanie.

L'illustrateur : Philippe Masson, né à Rennes en 1965, est issu d'une famille de marins bretons. Actuellement, il vit à Tours avec son amie et ses deux enfants, Lucas et Mona. Depuis 1997, il réalise les dessins de « Marion Duval » d'Yvan Pommaux pour le magazine *Astrapi*.

À Louis de Wolf-Stein, qui m'a suggéré d'envoyer
Tom et Léa à Pompéi.

Titre original : *Vacation Under the Volcano*
© Texte, 1998, Mary Pope Osborne.
Publié avec l'autorisation de Random House Children's Books,
un département de Random House, Inc., New York, New York, USA.
Tous droits réservés.
Reproduction même partielle interdite.
© 2005, Bayard Éditions Jeunesse
© 2003, Bayard Éditions Jeunesse pour la traduction française
et les illustrations.

Conception et réalisation de la maquette : Isabelle Southgate.
Colorisation de la couverture, illustrations de l'arbre, de la cabane
et de l'échelle : Paul Siraudeau.

Loi n° 49 956 du 16 juillet 1949
sur les publications destinées à la jeunesse.
Dépôt légal : 4e trimestre 2005 – ISBN 13 : 978 2 7470 1841 8
Imprimé en Allemagne par Clausen & Bosse

La Cabane Magique

Panique à Pompéi

Mary Pope Osborne

Traduit et adapté de l'américain
par Marie-Hélène Delval

Illustré par Philippe Masson

Huitième édition

BAYARD JEUNESSE

Léa

Prénom : Léa

Âge : sept ans

Domicile : près du bois de Belleville

Caractère : espiègle et curieuse

Signes particuliers : ne manque jamais une occasion d'entraîner son frère Tom dans des aventures mouvementées, sans se soucier du danger.

Tom

Prénom : Tom

Âge : neuf ans

Domicile : près du bois de Belleville

Caractère : studieux et sérieux

Signes particuliers : aime beaucoup
les livres, qui l'aident à se sortir
de situations périlleuses.

Les sept premiers voyages de Tom et Léa

Tom et Léa ont découvert dans le bois de Belleville, perchée en haut d'un chêne, une cabane pleine de livres. C'est une

cabane magique !

Elle appartient à la fée Morgane, une magicienne et une célèbre bibliothécaire qui voyage à travers le temps et l'espace pour rassembler des livres.

Nos deux jeunes héros ont déjà vécu des **aventures extraordinaires !** Il leur suffit d'ouvrir un livre, de poser le doigt sur une image en souhaitant se trouver à l'endroit représenté, et ils y sont aussitôt transportés !

Au cours de leurs trois dernières aventures, Tom et Léa ont dû affronter de multiples **dangers** pour trouver trois objets et délivrer la fée Morgane, à qui Merlin avait jeté un mauvais sort !

Souviens-toi...

Les enfants ont failli se faire dévorer par un crocodile sur le fleuve Amazone !

Vêtus de drôles de combinaisons, ils ont rencontré l'homme de la Lune.

Tom et Léa sont montés sur le dos d'un gigantesque mammouth.

Nouvelle mission : rapporter de précieux livres !

La fée Morgane confie à Tom et Léa une importante mission : récupérer, pour sa bibliothèque, **quatre livres** qui risquent de disparaître à jamais. Pour cela, nos deux héros doivent remonter le temps.

Seront-ils **assez malins et courageux** ?
Arriveront-ils à sauver ces livres pour la fée
Morgane avant qu'ils ne soient détruits ?

 Lis vite les quatre nouveaux
« Cabane Magique » !

★ N° 8 ★
Panique à Pompéi

★ N° 9 ★
Le terrible empereur de Chine

★ N° 10 ★
L'attaque des Vikings

★ N° 11 ★
Course de chars à Olympie

Prêt à suivre Tom et Léa
dans leurs dangereuses aventures ?
Bon voyage !

1

Une nouvelle mission

Tom finit de remplir sa valise : il s'apprête à partir en vacances à la montagne, avec ses parents et sa sœur Léa.

Justement, celle-ci passe la tête par l'ouverture de la porte :

– Tom ? On fait un tour au bois ?

Depuis leur dernière aventure, Tom et Léa retournent chaque matin dans le bois, en espérant voir la cabane magique au sommet du grand chêne. Mais elle n'est toujours pas réapparue.

– On n'a pas le temps, dit Tom. On va partir.

– Et si Morgane est revenue ? Si elle nous attend ?

– Bon, d'accord, soupire Tom. Seulement, dépêchons-nous !

Il attrape son sac à dos, y fourre en vitesse son carnet et son stylo, et il dévale les escaliers derrière sa sœur.

– On revient tout de suite !

– N'allez pas trop loin ! recommande leur père. On s'en va dans une demi-heure.

– Non, non ! le rassure Léa. On en a pour dix minutes.

« C'est exact, pense Tom. Cinq minutes pour aller jusqu'au chêne, et cinq minutes pour en revenir, même si Morgane est là et nous entraîne dans une nouvelle aventure ! »

Car, chaque fois que les enfants voyagent dans l'espace et le temps grâce à la cabane magique, ils sont de retour *exactement à l'heure où ils sont partis.*

Normal : c'est magique !

Tom et Léa remontent la rue qui mène au bois de Belleville.

– J'ai fait un cauchemar, cette nuit, dit Léa. Il y avait des flammes partout et de la fumée. On ne voyait plus le ciel, et la terre tremblait. Tu crois que c'était un avertissement ?

– Mais non, c'était juste un rêve.

Que le bois est tranquille, ce matin ! Des rais de lumière dorée coulent entre les feuilles, et les oiseaux s'interpellent de branche en branche.

Tom et Léa s'arrêtent devant le grand chêne. Ils lèvent la tête et lâchent d'une seule voix :

– Aaah !

La cabane magique est de retour ! Et Morgane leur fait signe, penchée à la fenêtre.

– Montez vite, vous deux ! leur crie-t-elle joyeusement.

Ils obéissent aussitôt.

L'un derrière l'autre, ils empoignent l'échelle de corde, et les voilà dans la cabane.

Morgane les accueille, un livre et une feuille de papier à la main :

– J'ai une mission importante à vous confier avant votre départ en vacances. Êtes-vous prêts ?

– Oui ! répondent Tom et Léa avec enthousiasme.

– Alors, écoutez-moi bien ! Vous savez que je suis toujours à la recherche de livres pour la grande bibliothèque du château de Camelot, au royaume du roi Arthur ?

Les enfants hochent la tête. Morgane leur a expliqué ça après leur aventure au temps des pirates.*

– Au cours des siècles, bien des bibliothèques ont été détruites. C'est ainsi que des ouvrages pleins de merveilleuses histoires ont disparu.

– Quel dommage ! soupire Léa.

– Heureusement, reprend la fée, grâce à ma cabane magique, vous pouvez m'aider à en sauver quelques-uns. Comme celui-ci, par exemple !

* Lire le tome 4, *Le trésor des pirates.*

Morgane leur tend la feuille de papier, sur laquelle est écrit : *Vir fortissimus in Mundo.*

– C'est le titre d'une de ces belles histoires perdues, poursuit Morgane. La phrase est écrite en latin, la langue des anciens Romains.

– Les Romains de l'antiquité ? s'exclame Tom, tout excité.

Tom est passionné par l'antiquité !

– Exactement ! Ce livre se trouve dans la bibliothèque d'une ville romaine. Il faut absolument que vous le sauviez avant que cette bibliothèque soit détruite.

– Pas de problème ! s'écrie Léa.

– On y va tout de suite ! décide Tom.

– Je savais que je pouvais compter sur vous ! Voici le livre qui vous permettra d'aller là-bas.

Et la fée tend un album à Tom. L'image de couverture représente une rue où marchent des gens vêtus de tuniques, avec

des sandales aux
pieds. Le titre est : *Au temps
de l'empire romain.*

– Ça a l'air super ! murmure Tom.

– N'oubliez pas ceci, dit la fée, en lui don-
nant la feuille de papier.

Tom la plie soigneusement et la met dans
son sac à dos.

– On trouvera votre livre, promet Léa.
Ne vous inquiétez pas !

– Alors, partez tout de suite. Bonne chance !

– Merci, dit Tom.

Il pose le doigt sur la couverture du livre, et il prononce la formule habituelle :

– Nous souhaitons être là !

Aussitôt, le vent commence à souffler. Morgane leur dit encore :

– Aux heures les plus sombres, sachez que seule cette très ancienne histoire pourra vous sauver ! Moi, je vais vous aider à…

Sa voix se perd dans les gémissements du vent.

– Nous aider à quoi ? crie Tom.

Mais avant que Morgane ait pu répondre, la cabane se met à tourner. Elle tourne plus vite, de plus en plus vite. Elle tourbillonne comme une toupie folle. Le vent hurle. Puis tout s'arrête, tout se tait.

– Génial ! s'écrie Léa. Tu as vu nos habits, Tom ?

2

Une ville animée

Tom regarde ses pieds avec étonnement :
ses baskets ont disparu, remplacées par
des sandales. Au lieu d'un jean et d'un
T-shirt, il est vêtu d'une tunique blanche
maintenue à la taille par une ceinture.
Quant à son sac à dos, il s'est transformé
en besace de cuir.

Sa sœur porte également une tunique et
des sandales semblables aux siennes.

– Je comprends, dit Tom. Morgane nous a
habillés comme des enfants romains de ce
temps-là. Ça va nous aider à passer inaperçus !

– J'aime bien cette tunique, s'exclame Léa
en virevoltant. C'est comme si on jouait
dans un film !

– Ouais…, fait son frère, l'air à moitié
convaincu.

Lui, il a plutôt l'impression d'être habillé
en fille !

Léa se penche à la fenêtre :

– Viens voir, Tom ! C'est super joli, ici !

Tom s'accoude près d'elle. La cabane s'est posée en haut d'un olivier. D'un côté s'élève une haute montagne aux pentes verdoyantes. De l'autre, on découvre une ville immense qui scintille au soleil.

– Où nous sommes, exactement ? demande Tom.

Il ouvre le livre de Morgane et lit à haute voix :

Il y a environ 2000 ans,
la ville de Pompéi, située au bord de
la Méditerranée, était une cité romaine
typique : de riches Romains venaient
y passer leurs vacances. Ils y bâtissaient
de vastes villas et plantaient des
oliviers sur les pentes du Vésuve.

– Donc, cette belle ville, c'est Pompéi. Et
cette grande montagne, c'est le Vésuve !
– Le Vésuve…, dit Léa, songeuse. C'est un
nom qui fait peur, je trouve…
Tom ouvre le sac de cuir. Il y trouve son
carnet et son crayon. Il va pouvoir prendre
des notes, comme d'habitude. Il écrit :

Des belles villas à Pompéi,
pour passer les vacances...

– Hé ! crie Léa. Qu'est-ce qu'il se passe ? On
dirait que le sol tremble ! Et j'ai entendu une

espèce de grondement…

Tom fronce les sourcils :

– Mais non, tu as rêvé !

– Je n'ai pas rêvé ! Je n'aime pas cet endroit. On ferait mieux de rentrer à la maison tout de suite.

– Pas avant d'avoir trouvé le livre perdu pour la bibliothèque de Morgane ! proteste Tom. Tu oublies qu'elle nous a chargés d'une mission ! Et moi, j'ai toujours eu envie de visiter une ville de l'antiquité !

Il remet son carnet et son crayon dans le sac, se dirige vers la trappe et descend par l'échelle de corde. Arrivé en bas, il appelle sa sœur :

– Alors ? Tu viens ?

Léa le regarde par l'ouverture et grommelle :

– Je n'ai pas envie…

– Arrête de faire ta bécasse ! Descends ! Ça va être passionnant, tu verras !

Léa ne bouge pas.

« Mais qu'est-ce qui lui prend ? D'habitude, c'est moi qui me méfie de tout ! »

Il insiste :

– Allez, viens ! On ne peut pas laisser tomber Morgane !

La petite fille pousse un énorme soupir :

– Bon, d'accord. Mais on a intérêt à se dépêcher !

Et elle rejoint son frère au pied de l'arbre.

Laissant le Vésuve dans leur dos, les deux enfants empruntent un chemin pentu qui descend vers la ville.

– C'est bizarre, remarque Léa. On n'entend pas un seul chant d'oiseau !

Tom s'engage sur une étroite passerelle de bois qui enjambe un ruisseau. Mais le lit du cours d'eau est à sec.

– Ça aussi, c'est bizarre, murmure Léa.

– Mais non, affirme Tom. C'est l'été. Il n'a pas plu depuis longtemps.

Passé le pont, les enfants arrivent sur une voie pavée, qui mène aux premières maisons. Ils entrent dans une rue bordée de boutiques. Marchands et clients discutent les prix, des gamins passent en courant,

des groupes de jeunes gens se promènent. Des fermiers vendent leur raisin, leurs oignons. Des pêcheurs vantent la fraîcheur de leurs poissons. On entend crier :

– Gâteaux au miel ! Dattes fourrées ! Œufs de paons !

Tom est fasciné par tout ce qu'il voit dans les boutiques : les énormes jarres emplies de graines, de fruits secs ou d'olives ; les morceaux de viande accrochés au plafond des boucheries, les étoffes de laine, les vases et les cruches de verre.

Léa observe un instant une fille de son âge qui essaie une paire de sandales sous l'œil vigilant de sa mère.

– Au fond, dit Tom, les gens de cette époque vivent presque comme nous !

Mais Léa regarde autour d'elle d'un air soucieux :

– Moi, j'ai une drôle d'impression… Ça me fait peur.

Une étrange vieille femme

Les enfants arrivent bientôt sur une place où des hommes montés sur de petites estrades haranguent la foule.

– Je parie qu'on est sur le forum ! s'écrie Tom.

Il fouille dans son sac, en sort le livre, le feuillette jusqu'à ce qu'il trouve l'image qu'il cherche. Il lit :

La place située au centre d'une ville romaine s'appelle le forum. Les gens s'y réunissent pour discuter politique.

– C'est bien ça ! dit Tom.

Il ouvre aussitôt son carnet pour y noter :

Le forum
au centre de la ville...

– Tom ! chuchote Léa en tirant sur la manche de son frère. Regarde !

Elle désigne du regard une vieille femme édentée, vêtue de noir, qui les dévisage d'une étrange façon. Elle les invective soudain d'une voix rauque :

– Partez d'ici, étrangers ! La fin est proche !

– Elle est dingue ! balbutie Léa.

– Fichons le camp ! décide Tom.

Il range son carnet en

vitesse et entraîne Léa. La voix de la vieille les poursuit, malgré le brouhaha :

– La fin ! La fin est proche ! Partez !

Les enfants s'accroupissent derrière un étal de fruits. Ils attendent là un bon moment. Puis ils glissent un œil prudent pour observer les alentours.

– Elle est partie, dit Tom.

– C'était qui, cette vieille folle ? demande Léa. Est-ce qu'il y a quelque chose sur elle, dans le livre ?

– Ça m'étonnerait !

– Regarde quand même !

Tom sort le livre de son sac en soupirant. À sa grande surprise, il tombe sur une image représentant la vieille femme ! Il lit :

Les anciens Romains croyaient aux prédictions des devins et des devineresses.

– Une devineresse ? s'écrie Léa. Alors, elle n'est pas folle ! Elle a voulu nous prévenir d'un danger ! J'ai peur, Tom. C'est comme dans mon cauchemar…

– Mais non ! On ne croit plus à tout ça, à notre époque.

– Oui, sauf qu'ici on n'est pas « à notre époque » ! Je suis sûre qu'il va arriver quelque chose…

Tom prend sa sœur par la main :

– On trouve la bibliothèque, et on s'en va, promis !

– D'accord ! soupire Léa.

4

Dieux, devins et gladiateurs

Ils marchent encore un moment sans rien dire. Puis Léa remarque, songeuse :

– Au fait…, les anciens Romains, ils parlaient bien le latin ?

– Ben… oui ! Et alors ?

– Alors, comment ça se fait qu'on les comprend ?

Tom hausse les épaules :

– C'est sûrement un tour de Morgane, comme pour nos habits.

Ils découvrent alors un vaste bâtiment. Des gens y entrent et en sortent.

– C'est peut-être là, la bibliothèque, murmure Léa, pleine d'espoir.

– Une minute, je regarde dans le livre.

Tom trouve une image du bâtiment et lit :

À Pompéi, comme dans toutes les villes romaines, on se rendait chaque jour aux bains publics. On y trouvait des bassins pour se laver, un sauna et des salles de gymnastique.

– Comme nous à la piscine, conclut Léa. Mais ce n'est pas la bibliothèque. Dépêchons-nous !

Ils se dirigent à grands pas vers un autre bâtiment, orné de hautes colonnes.

– C'est peut-être là…, dit Léa. Cherche un peu dans le livre !

Tom trouve très vite la bonne page. Sous l'image, le texte dit :

Dans tout l'empire romain, on vénérait de nombreux dieux. Voici le temple de Jupiter, à Pompéi.

– Jupiter, explique Tom, c'était le dieu de la foudre et du tonnerre. Il y avait aussi le dieu de la musique, Apollon. Et Hercule, le fils de Jupiter et d'une humaine. C'est lui qui…

– Je sais ! l'interrompt Léa. Il était très fort, et il a fait plein de travaux, ce sont les douze travaux d'Hercule ! Mais je préfère Vénus, la déesse de l'amour, parce que c'est la plus belle !

– Hé ! Le livre qu'on cherche raconte peut-être l'histoire d'un dieu romain ?

– Peut-être. Mais pour le savoir, il faut d'abord mettre la main dessus !

Ils s'élancent dans une large avenue, et s'arrêtent brusquement en découvrant un incroyable spectacle : une troupe de guerriers portant de lourds boucliers défile d'un pas martial.

– Tu as vu leurs muscles ! s'écrie Léa, impressionnée.

Tom remarque alors que ceux qu'il a pris pour des soldats ont des chaînes aux pieds et sont conduits par des gardes casqués. Il souffle :

– Des gladiateurs !

Tom feuillette vivement son livre, et il lit :

**L'école de gladiateurs de Pompéi
était l'une des meilleures.
Quelquefois, ils combattaient
des lions, des tigres ou des taureaux
dans un amphithéâtre.**

– Pauvres bêtes ! s'attendrit Léa.

– Ouais… Ou pauvres gladiateurs ! dit Tom.

La troupe pénètre dans un vaste bâtiment
en courbe qui ressemble à un stade.

Tom ajoute :

– Et voilà l'amphithéâtre !

– Donc, ce n'est pas une bibliothèque, dit
Léa. Allons-nous-en !

– Entrons juste une minute ! supplie Tom.
On n'aura plus jamais l'occasion de voir
un vrai combat de gladiateurs !

Et, sans attendre la réponse, il se dirige
vers l'entrée.

Une terrible prédiction

5

Léa suit son frère en rouspétant. Mais, à l'entrée de l'amphithéâtre, un garde leur barre le passage :

– Pas d'enfants ici ! Fichez le camp !

– Oui ! renchérit une voix rauque. Partez ! Partez vite ! Sauvez votre vie !

Tom et Léa se retournent.

– Oh, non ! gémit la petite fille. Encore elle ! La devineresse est dans la foule et les menace de son doigt crochu.

– Viens, Léa, chuchote Tom. Filons !

– Attends une minute ! Je vais lui parler.

– Lui parler ? Tu es devenue folle ?

Avant qu'il ait pu la retenir, Léa s'est frayée un chemin dans la cohue. Elle a rattrapé la vieille femme, qui s'est un peu éloignée et semble attendre la petite fille dans un coin plus tranquille.

– Oh, celle-là ! soupire Tom avant de rejoindre sa sœur.

La devineresse fixe longuement les deux enfants. Puis elle déclare :

– Toutes les rivières de Pompéi se sont taries.

– Oui, dit Léa. Le ruisseau qu'on a traversé était à sec.

– Et alors ? objecte Tom. Ça arrive, en été !

– Les oiseaux se sont enfuis, reprend la vieille femme. Et aussi les rats. Les vaches, dans les champs, poussent d'étranges mugissements.

Cette fois, Tom ne dit rien.

– La mer s'échauffe. Le ventre de la terre gronde.

– Tu vois ! s'écrie Léa. Je te l'avais dit !

– Oui, mais… pourquoi ? Pourquoi ces choses arrivent-elles ? demande Tom, inquiet.

La vieille femme répond d'une voix très basse :

– Parce que la fin est proche. Savez-vous qu'aujourd'hui est le vingt-quatrième jour du mois d'août, en l'an 79 ?

– Ah ? fait Tom.

– Il faut s'en aller, Tom, supplie Léa. Partons tout de suite !

– Tu sais bien qu'on ne peut pas partir tant qu'on n'a pas trouvé le livre pour Morgane !

– Mais on ne sait même pas où est la bibliothèque !

– Quelle bibliothèque ? s'étonne la vieille.

– Montre-lui le papier avec le titre de l'histoire, Tom ! dit Léa.

Tom sort le papier de son sac.

– Quelque part dans cette ville, explique-t-il, dans une bibliothèque, il y a ce livre.

Et nous avons pour mission de le récupérer !

La vieille femme fixe un moment le morceau de papier. Puis elle sourit :

– Oui, je comprends. La bibliothèque que vous cherchez est dans la maison de Brutus, là-bas !

Du doigt, elle désigne une magnifique demeure au bout de l'avenue.

– Courez-y ! Vite ! Il n'y a pas un instant à perdre !

– Mais ce monsieur, euh… Brutus, qu'est-ce qu'il va dire ?

– Il ne dira rien. Il est à Rome, avec toute sa maisonnée. Ce n'est qu'une villa de vacances.

– Oui, mais… On ne peut quand même pas entrer et prendre ce qu'on veut comme ça !

La vieille devineresse remue tristement la tête :

– Bientôt, il ne restera rien, à Pompéi. Plus rien.

Tom sent un frisson glacé lui courir le long du dos.

– Allez ! reprend la vieille. Sauvez ce qui peut être sauvé. Et ensuite, fuyez !

– Merci, madame ! dit Tom.

Il attrape Léa par la main et l'entraîne vers la villa.

– Merci ! crie à son tour Léa en se retournant une dernière fois.

Une maison vide

Tom et Léa poussent la porte. Ils longent le couloir qui mène à une petite cour carrée ; au milieu de la cour miroite un bassin. D'autres portes donnent sur la cour. La villa semble vide. Par précaution, Léa demande :

– Y a quelqu'un ?

Seul le silence lui répond.

Tom, lui, examine le toit : il protège la cour sur ses quatre côtés, mais le centre est ouvert et garni de gouttières. Tom murmure :

– Je comprends. Ce bassin sert à recueillir les eaux de pluie !

Il s'apprête à sortir son carnet pour noter ses observations, mais Léa le secoue :

– Ce n'est pas le moment, Tom ! Il faut chercher le livre !

Il referme le sac en grommelant et suit sa sœur dans la maison. Ils poussent les portes les unes après les autres, découvrent des

chambres simplement meublées d'un
lit de bois et d'un coffre, une pièce qui
ressemble à une salle à manger, avec une
table basse entourée de divans.

– Ah oui ! commente Tom. Ces gens ont
l'habitude de manger allongés !

Les murs sont décorés de peintures, et
le sol est recouvert d'une mosaïque. Il y a
aussi une cuisine.

Mais nulle part les enfants ne voient de livres. Tom est très excité de visiter une véritable maison de l'époque romaine. Il essaie de mémoriser tous les détails pour les décrire plus tard dans son carnet.

Il s'accroupit pour regarder de plus près les motifs d'une mosaïque. Quand il se redresse, il a beau chercher sa sœur des yeux. Léa a disparu !

– Où est-elle encore passée ? grogne-t-il.

À cet instant, il entend sa sœur l'appeler :

– Tom ! Viens vite !

Il s'élance et débouche dans un jardin. C'est un patio ombragé par des palmiers, avec une sirène de pierre assise au bord d'une fontaine.

– Regarde, dit Léa. Il y a d'autres pièces, là-bas.

Tous deux se dirigent vers une porte, abritée par un auvent. Léa pousse le battant et regarde à l'intérieur de la pièce :

– On dirait des papiers !

– Laisse-moi voir, dit Tom.

Il entre et découvre des quantités de rouleaux, rangés sur des étagères.

– Pfff ! rouspète la petite fille. Il n'y a pas un seul livre, dans cette baraque ! On ne trouvera jamais !

– Une minute…, réfléchit Tom.

Il tire de nouveau de son sac le livre sur l'antiquité romaine. Dans la table des matières, il cherche le chapitre « Écritures ». Il lit :

> On écrivait sur des tablettes de cire,
> avec des instruments pointus,
> les stylets ; sur du papyrus ou
> du parchemin avec des plumes
> en os, en bronze ou en roseau,
> que l'on plongeait dans un mélange
> de suie et d'encre de calmar.

– C'est bien ce que je me disais ! s'écrie-t-il. La voilà, la bibliothèque de ce monsieur Brutus ! Et ces rouleaux sont des parchemins. Je parie que l'histoire qu'on cherche est quelque part là-dedans !

– Eh ben ! soupire Léa, découragée. On en a pour un moment !

7

Le 24 août de l'an 79

Tom et Léa commencent à fouiller dans les parchemins. Ils les déroulent les uns après les autres, essayant de découvrir le titre qu'ils recherchent.

– Oh là là ! grogne Léa. C'est tout en latin ! Je n'y comprends rien, moi !

Enfin, Tom déchiffre :

– « Vir fortissi… »

Il sort de son sac le papier que leur a donné Morgane, il compare et s'écrie, triomphant :

– « Vir Fortissimus in Mundo » ! Je l'ai ! Regarde, Léa ! Je l'ai trouvé !

– Génial !

– Dommage qu'on ne comprenne pas le latin ! J'aimerais bien savoir ce qu'elle raconte, cette histoire.

Léa retire le parchemin des mains de son frère, elle le roule et déclare :

– Tu t'occuperas de ça plus tard. D'abord, on retourne à la maison.

Mais Tom sort le livre de son sac et le feuillette en marmonnant :

– Il y a peut-être quelque chose là-dedans, à propos de ce parchemin…

Et, soudain, il tombe sur une image représentant un volcan en éruption. Sous l'image, il est écrit :

Pendant huit cents ans, le Vésuve est resté une paisible montagne surplombant la ville de Pompéi. Puis, le 24 août de l'an 79, à midi, il est entré en éruption.

Affolé, il se met à bafouiller :

– Léa ! Tu te souviens de… de ce qu'a dit la vieille devineresse ?

– Ben quoi ?

– Qu'aujourd'hui était le vingt-quatrième

jour de l'an 79 ! C'est pour ça qu'elle répétait : « La fin est proche ! » Le volcan va exploser ! À midi !

– À midi ? Mais… quelle heure est-il ?

Léa ouvre des yeux effarés.

Et, brusquement, elle sort en courant.

– Hé ! crie Tom. Où tu vas ? Attends-moi !

Sans même ranger le livre dans son sac, il

s'élance à la poursuite de sa sœur. Léa s'est arrêtée dans le patio, près de la fontaine.

– Regarde ! dit-elle en désignant une plaque de marbre, sur un socle. Des traits y sont gravés, et une tige de fer se dresse au milieu.

– Waouh ! Un cadran solaire ! souffle Tom. Comment ça marche ?

De nouveau, il feuillette son livre fébrilement. Enfin, il trouve l'image d'un cadran solaire. Sous l'image, il lit :

L'ombre de la tige, qui se déplace selon la position du soleil, indique l'heure. Lorsque l'ombre est si courte qu'elle a presque disparu, il est midi.

– L'ombre de la tige…, murmure Léa. On ne la voit plus !
– Midi… !
Une terrible explosion retentit alors, le bruit le plus effrayant qu'ils aient jamais entendu : le Vésuve vient d'entrer en éruption !

Un formidable feu d'artifice

8

L'instant d'après, un grondement sourd monte du sol. La sirène de pierre tremble au bord de la fontaine. Les enfants sont jetés à terre par une violente secousse.

Ils se remettent sur leurs pieds juste à temps pour éviter une cascade de tuiles qui dégringolent du toit.

– Vite ! crie Tom. Mettons-nous à l'abri !

Il ramasse son sac, et tous deux se réfugient à l'intérieur de la bibliothèque.

De larges fissures se dessinent sur les murs, fendent les motifs des mosaïques. Léa court

à la fenêtre : au loin, le Vésuve crache des blocs incandescents : on dirait un gigantesque feu d'artifice.

– Tom ! s'écrie la petite fille. Qu'est-ce qu'on fait ?

– Une minute, je regarde ce que dit le livre.

Il cherche le chapitre consacré au volcan, et il lit :

Habituellement, un volcan rejette
du magma, formé de roches en fusion.
Le magma coule sur les pentes
du volcan sous forme de lave.

– La lave, s'écrie Tom, c'est de la boue brûlante !

– Oh, non ! gémit Léa.

Tom lit encore :

Mais le magma craché par
le Vésuve s'est très vite refroidi

**au contact de l'air. Il s'est désagrégé
en minuscules grains de pierre ponce.**

– Bon, fait Léa, un peu rassurée. C'est
léger, la pierre ponce, et ça ne brûle pas !
– Attends, je n'ai pas tout lu…

**Un gigantesque nuage
de cendres est retombé
sur Pompéi, recouvrant
totalement la ville.**

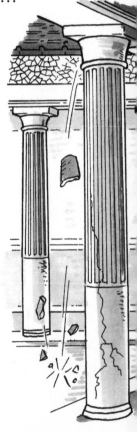

Ils se regardent, terrifiés.
– Comme il fait noir… !
murmure Léa.
Dehors, le soleil a complè-
tement disparu. Le ciel a
pris une étrange teinte
grise.
– C'est à cause du nuage
de cendres…

Soudain, le sol tremble de nouveau. De petites plaques de plâtre se détachent du plafond et tombent sur la tête des enfants.

– Fichons le camp d'ici ! crie Léa.

Ils sortent et traversent le jardin en courant. Une fine poussière flotte dans l'air,

se colle à leur visage et à leurs mains.

– Il faut se protéger la tête ! dit Tom.

– Prenons des coussins dans la salle à manger !

Ils entrent dans la pièce, attrapent chacun un coussin, l'attachent sur leur tête avec leur ceinture.

– Vite ! hurle Tom quand un morceau de plafond s'écrase juste à côté de lui.

Bondissant par-dessus les tuiles brisées qui encombrent la cour, ils se ruent vers la porte et jaillissent dans la rue.

Une pluie de cendres et de pierres s'abat sur eux.

– Courons à la cabane ! s'affole Léa.

9

Au secours !

L'air est brûlant, presque irrespirable. Au loin, le Vésuve flambe comme l'enfer. Tom et Léa foncent droit devant eux, essayant d'éviter les gens affolés, hommes, femmes, enfants, marchands, soldats, qui fuient dans toutes les directions.

On entend des cris, des pleurs ; des colonnes vacillent et s'écroulent, des attelages se renversent, les chevaux se cabrent en hennissant.

– Plus vite ! hurle Léa.

Ils dépassent le temple de Jupiter, arrivent

devant les bains publics juste au moment
où un pan de toit s'effondre.

– Je reconnais la rue ! s'écrie Tom. Au
bout, on va trouver la rivière et le petit
pont. La cabane est de l'autre côté !

Bientôt, ils ne croisent plus personne.

Les enfants courent vers le Vésuve, alors
que les habitants de Pompéi fuient dans
l'autre sens, pour tenter de s'échapper
par la mer.

La rue est jonchée de jarres brisées,
de paniers renversés, de fruits et
de légumes piétinés qui, peu à
peu, se couvrent de cendres.

Plus Tom et Léa se rapprochent du volcan, plus le sol tremble, plus l'air est chargé de poussières brûlantes.

– C'est comme dans mon cauchemar, halète la petite fille.

Tom ne répond pas. Il a du mal à respirer, les yeux lui piquent.

– Le bois d'oliviers ! s'exclame Léa. On y est presque !

Tom attrape sa sœur par la manche : il n'y voit plus rien derrière les verres salis de ses lunettes.

Ils continuent de courir, hors d'haleine. Enfin ils arrivent sur la berge de la rivière.

– Le pont ! s'affole Léa. Où est le pont ? Le pont de bois a disparu !

Les enfants examinent le lit de la rivière à sec. Il est maintenant à moitié rempli d'une espèce de neige grise.

– On doit descendre là-dedans, souffle Tom.

Il s'assied sur la rive et commence à glisser

prudemment. Léa fait de même. Leurs pieds s'enfoncent dans une masse molle et chaude. La cendre continue de tomber en pluie.

– Je suis embourbé ! gémit Tom. On ne va pas s'en sortir, Léa !

À cet instant, sa sœur le tire par le bras :

– Hé ! Tu te rappelles ce qu'a dit Morgane ? Tom est bien trop affolé pour se rappeler quoi que ce soit !

– Où est ton sac, Tom ? continue Léa. Donne-le moi !

Tom lui tend le sac sans un mot.

Léa fouille dedans aussitôt en récitant :

– « Aux heures les plus sombres, sachez que seule cette très ancienne histoire vous sauvera ! » C'est ce que Morgane a dit, tu te souviens ?

La petite fille sort le rouleau de parchemin du sac et le brandit en clamant :

– Sauve-nous, histoire !

Qu'est-ce qu'elle raconte ? Elle est devenue folle ? Tom sent qu'il s'enfonce de plus en plus dans l'épaisse couche de cendre.

Soudain, une voix puissante résonne derrière lui :

– Je suis là, les enfants ! N'ayez pas peur ! Une explosion de flammes éclaire l'obscurité. Dans la lumière rougeoyante apparaît un homme encore plus grand et plus fort que les gladiateurs. Un vrai géant ! D'une main, il soulève Tom, de l'autre, Léa, et il les dépose sur l'autre rive.

– Courez, maintenant ! leur ordonne le

géant. Fuyez avant qu'il ne soit trop tard !

Tom et Léa obéissent sans poser de questions. Ils foncent droit vers le bosquet d'oliviers, enjambant des branches tombées, évitant les crevasses qui se sont ouvertes dans le sol.

Enfin ils aperçoivent la cabane.

Ils agrippent l'échelle de corde, se hissent en vitesse jusqu'en haut.

– Où est le livre ? crie Tom, qui n'y voit rien.

– Je l'ai ! Je souhaite revenir chez nous ! enchaîne aussitôt Léa, un doigt posé sur l'image de leur bois.

La cabane se met à tourner, plus vite, de plus en plus vite.

Puis tout se calme. Tout se tait.

10

Merci, Hercule !

Tom reste assis sur le plancher de la cabane. Il ne s'est jamais senti aussi fatigué.

– Essuie tes lunettes, lui dit Léa. Tu y verras plus clair !

Tom obéit d'un geste machinal. Quand il remet les lunettes sur son nez, la première chose qu'il remarque, c'est son sac à dos. Il baisse les yeux : aux pieds, il porte ses baskets. Il regarde Léa. Plus de tunique ni de sandales. Sa sœur est vêtue comme à l'ordinaire, d'un jean et d'un T-shirt. Tom pousse un long soupir de soulagement.

Au même instant, une voix joyeuse s'élève derrière lui :

– Que je suis heureuse de vous revoir ! Je me suis fait du souci !

Morgane est là, plus belle et plus mystérieuse que jamais !

– Contents d'être revenus ? demande-t-elle.

Tom hoche la tête. Il lui semble encore entendre, comme un lointain écho, le grondement terrifiant du volcan.

– On a eu très peur, avoue-t-il.

– Je sais, dit la fée. Mais vous vous êtes montrés très courageux. Vous avez été les témoins d'un des grands drames de l'Histoire ! Aujourd'hui, des archéologues étudient les ruines de Pompéi, et apprennent beaucoup de choses sur la vie quotidienne en ce temps-là.

– Les pauvres gens ! murmure Léa.

– On a bien failli rester prisonniers des cendres, souffle Tom. Heureusement, grâce au parchemin, un guerrier fort comme un géant nous a tirés de là. Tenez ! Voilà l'histoire que vous vouliez sauver !

Et il donne à la fée le rouleau de parchemin.

– Je ne sais comment vous remercier, dit Morgane. Vous avez bravé de grands dangers pour me rapporter cette histoire. Grâce à vous, elle sera conservée précieusement dans la bibliothèque du château de Camelot. Aussi, vous êtes dignes de devenir Maîtres Bibliothécaires, comme moi !

 Morgane tend à chacun d'eux une mince plaquette de bois où scintillent deux grandes lettres dorées, M.B. :

– Tenez ! Voici vos cartes !
Tom et Léa en restent muets
de surprise et de fierté.
– Bien ! ajoute Morgane.
Maintenant, que diriez-
vous d'un voyage dans la
Chine ancienne ? Là-bas
aussi, il y a un ouvrage
important à sauver !
– Euh…, fait Tom. Tout
de suite ?

La fée éclate de rire :
– Bien sûr que non ! Mais quand vous
reviendrez de vacances, je vous attendrai
ici. D'accord ?
– D'accord ! répondent en même temps
Tom et Léa.
Tous deux quittent la cabane magique.
D'en bas, ils font signe à Morgane, qui les
regarde par la fenêtre.
– Au fait, c'est quoi, lui crie Tom, l'histoire,

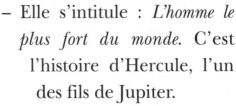

sur ce parchemin qu'on a sauvé ?

– Elle s'intitule : *L'homme le plus fort du monde.* C'est l'histoire d'Hercule, l'un des fils de Jupiter.

– Hercule ! s'écrie Léa. Alors… c'est lui qui nous a sauvés ?

– Exactement !

– Impossible ! intervient Tom. Il n'a pas existé en vrai, c'est un mythe !

– Peut-être, dit Morgane. Mais les gens de ce temps-là croyaient à son existence. Puisque vous étiez à l'époque romaine, il a existé aussi pour vous !

– Ah ! fait Tom, songeur.

À ce moment, une voix leur parvient de l'orée du bois :

– Tom ! Léa ! On va partir !

– C'est papa ! dit Léa.

– Filez vite !
ordonne Morgane.
Et bonnes vacances !
Les deux enfants lui font signe
une dernière fois et remontent
le sentier en courant. S'il y a un
volcan là où ils vont avec leurs
parents, ils espèrent que ce sera
un volcan éteint !

À suivre...

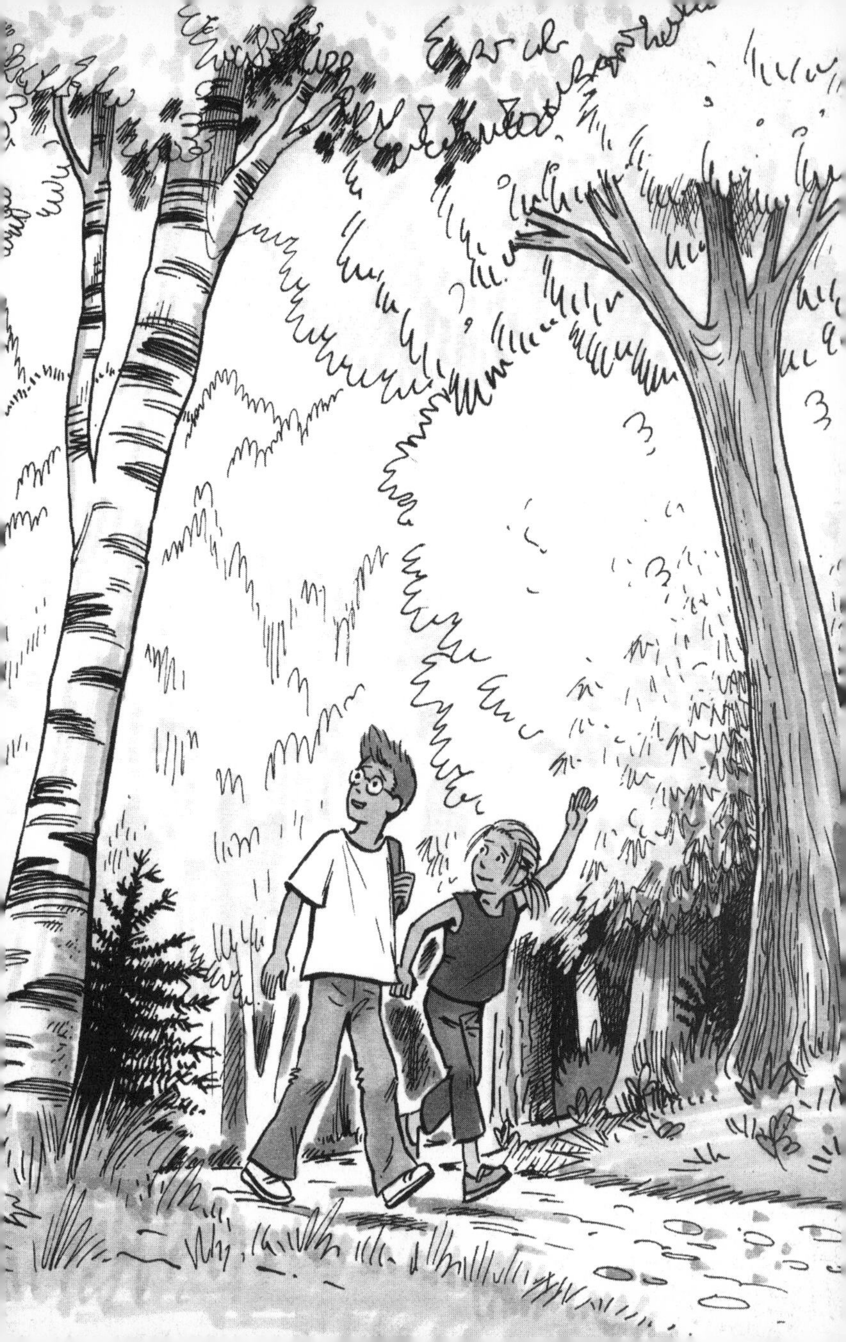

Découvre vite la suite
des aventures de Tom et Léa dans
Le terrible empereur de Chine.

La cabane magique

propulse
Tom et Léa

en Chine
ancienne

★ 3 ★
Un secret bien gardé

Tom et Léa reprennent leur marche à travers champs.

– On s'arrête d'abord à la ferme, rappelle Léa. Il faut porter le message du bouvier à la tisserande.

– D'accord, mais ne nous attardons pas. J'ai hâte de trouver la Bibliothèque impériale ! Et garde la tête baissée, sinon, les gens vont voir qu'on n'est pas chinois !

– Qu'est-ce que ça peut faire ? Le bouvier, lui…

– Baisse la tête, je te dis ! insiste Tom. Le roi n'est sans doute pas le seul, ici, à se méfier des étrangers !

Le visage caché par leur chapeau, ils croisent un char à bœufs chargé de foin, des femmes poussant des brouettes emplies de légumes. Ils franchissent un portail, entrent dans une cour.

– La voilà ! s'écrie Léa en désignant une jeune fille assise devant un métier à tisser à l'ombre d'un porche.

Tom s'assure que personne ne les observe, mais sa sœur est déjà auprès de la tisserande. Il s'approche à son tour, et il entend la jeune fille s'exclamer, avec un sourire heureux :

– Un message du bouvier pour moi ?

– Oui ! Il vous attend au champ à midi !

– C'est gentil d'être venus me prévenir. Tenez !
Prenez ceci en remerciement !

La tisserande plonge la main dans un panier et tend
à Léa une bobine de fil.

– Que c'est doux ! s'émerveille la petite fille. Touche,
Tom !

– Comment fabrique-t-on ce fil ? s'intéresse celui-ci.

– C'est grâce aux vers à soie, les chenilles d'un
papillon. Ces larves tissent un cocon de fins filaments
très solides.

– Des vers ? Il faut que je note ça tout de suite !

Il fouille dans son sac pour en tirer son carnet.
Mais la jeune fille retient son bras et supplie, l'air
épouvanté :

– Oh non ! Ne faites pas ça ! Vous êtes des étrangers,
n'est-ce pas ? La fabrication de la soie est le plus
précieux secret de toute la Chine. Celui qui le
déroberait serait aussitôt arrêté et condamné à mort
par le Roi Dragon, notre empereur !

Elle baisse la voix et ajoute :

– Partez, maintenant ! On vous a vus !

Tom jette un coup d'œil par dessus son épaule et aperçoit un homme qui les désigne du doigt.

– Sauvons-nous ! souffle-t-il.

– Au revoir ! dit Léa à la tisserande. Et merci pour la bobine de soie !

– Bonne chance ! leur lance la jeune Chinoise en se remettant à son ouvrage.

Les deux enfants quittent la cour de la ferme en courant. À peine ont-ils franchi le portail qu'une rude voix d'homme rugit dans leur dos :

– Arrêtez-les !

**Tom et Léa réussiront-ils
à s'échapper ?**

**Trouveront-ils
le deuxième livre à sauver
pour la bibliothèque de la fée Morgane ?**

★ ★ ★ ★ ★ ★ ★ ★ ★ ★

Si tu as envie de nous donner
tes impressions sur la série
ou nous parler de **tes propres voyages,**
réels ou imaginaires,
n'hésite pas à nous écrire !

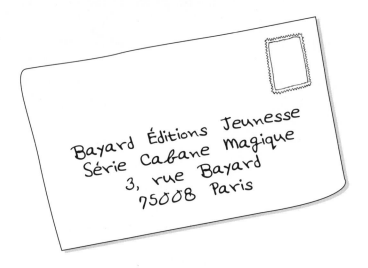

Bayard Éditions Jeunesse
Série Cabane Magique
3, rue Bayard
75008 Paris

N'oublie pas d'écrire
ton nom et ton adresse sur la lettre !